Pe. ENIO JOSÉ RIGO

COROINHAS E ACÓLITOS
O QUE SER, O QUE SABER E O QUE FAZER

EDITORA
SANTUÁRIO

Direção Editorial:	Pe. Fábio Evaristo R. Silva, C.Ss.R.
Conselho Editorial:	Pe. Ferdinando Mancilio, C.Ss.R.
	Pe. Marlos Aurélio, C.Ss.R.
	Pe. Mauro Vilela, C.Ss.R.
	Pe. Victor Hugo Lapenta, C.Ss.R.
Coordenação Editorial:	Ana Lúcia de Castro Leite
Copidesque:	Denis Faria
Revisão:	Luana Galvão
Diagramação e Capa:	Tiago Mariano da Conceição

Dados Internacionais de Catalogação na Publicação (CIP)
(Câmara Brasileira do Livro, SP, Brasil)

Rigo, Enio José
 Coroinhas e acólitos: o que ser, o que saber e o que fazer/ Enio José Rigo. – Aparecida, SP: Editora Santuário, 2017.

ISBN: 978-85-369-0503-7

1. Acólitos 2. Liturgia 3. Vocação religiosa I. Título.

17-05867   CDD-
264.02

Índices para catálogo sistemático:
1. Coroinhas: Manual de liturgia: Igreja Católica
264.02

5ª impressão

Todos os direitos reservados à **EDITORA SANTUÁRIO** – 2025

Rua Pe. Claro Monteiro, 342 – 12570-045 – Aparecida-SP
Tel.: 12 3104-2000 – Televendas: 0800 - 0 16 00 04
www.editorasantuario.com.br
vendas@editorasantuario.com.br

Dedico este trabalho às crianças coroinhas e aos jovens acólitos que, com dedicação exemplar, cuidam das celebrações litúrgicas de nossas comunidades de fé por este Brasil a fora. Meu reconhecimento e apreço pela generosidade com que se entregam à Liturgia, à Obra de Cristo e a sua Igreja. Coroinhas, pequenos e valentes. Acólitos, em processo de amadurecimento e já atuantes com a Igreja, que celebra os Mistérios da Fé.

SUMÁRIO

Siglas 7

Apresentação 9

Introdução 11

1. Coroinhas e acólitos – O que ser? 15
1. Algumas metas para trabalhar-se e
   crescer humana e espiritualmente 19
2. Coroinhas e acólitos, vocacionados do altar 23
3. Diferença entre coroinha e acólito 25
4. A vida cristã de coroinhas e de acólitos 27

2. Coroinhas e acólitos – O que saber? 33
1. Sobre a Eucaristia 35
2. Sobre os nomes dados à Eucaristia e seu significado ... 35
3. Eucaristia: instituição, celebração, ação de graças,
   banquete e penhor da glória 36
4. A missa: suas partes e seus gestos 39
5. Os lugares da celebração 48
6. Vasos litúrgicos, elementos e objetos sagrados 50
7. Vestes, paramentos litúrgicos e alfaias 55
8. Insígnias episcopais 56
9. Cores litúrgicas 58
10. Símbolos e sinais cristãos 59
11. Livros Litúrgicos 60
12. Diretório Litúrgico 61

3. Coroinhas e acólitos – O que fazer? 63
1. Um fazer centrado na razão do que se faz 66
2. Um fazer organizado 67

3. A paramentação 68
4. Procissão de entrada e de saída 69
5. Preparação das oferendas 70
6. Prece Eucarística 71
7. A purificação 71

Conclusão 73
Referências bibliográficas 77

SIGLAS

CIC	– Catecismo da Igreja Católica
CNBB	– Conferência Nacional dos Bispos do Brasil
CB	– Cerimonial dos Bispos
DAP	– Documento de Aparecida
IGLH	– Instrução Geral da Liturgia das Horas
IGMR	– Instrução Geral do Missal Romano
n.	– Número
PO	– *Presbyterorum Ordinis*
p.	– página
SC	– *Sacrosanctum Concilium*

APRESENTAÇÃO

Tenho a honra e a alegria de apresentar este trabalho que, escrito por Pe. Enio José Rigo, representa o empenho e o esforço do autor e significa um transbordar de seu amor à Igreja a serviço das Comunidades.

Dispensaria dizer que não se trata de uma reflexão teológica sobre um tema, nem da proposição ou defesa de uma ideia. Nem se destina ao público em geral. Deseja chegar, sim, àqueles grupos que servem nas celebrações, nomeadamente os acólitos e coroinhas, a seus animadores, líderes e catequistas, que estão em busca de um conteúdo que os ajude a bem exercerem seu trabalho, auxiliando no bom serviço do altar, que é normalmente serviço do bispo, ou, em seu lugar, do presbítero ou do diácono.

Por isso é uma publicação didaticamente pensada e escrita na perspectiva de uma fácil compreensão para viver como cristão (SER), para dar razões da própria fé (SABER) e testemunhar (FAZER).

Vem preencher um vazio que estava se fazendo sentir em nossas celebrações e nos meios litúrgicos e pastorais.

É de se desejar que esta obra possa cumprir os objetivos que foram nela colocados. Que se dê maior glória a Deus, que a Igreja mostre, em suas celebrações, a beleza de amar e seguir Jesus Cristo e que a santidade aconteça cada vez mais em cada coração que reza e celebra.

Pe. Atayde P. Busanello

Introdução

Sob o impulso do Concílio Vaticano II, que concebe a Igreja sempre em renovação, toda ela ministerial e enraizada em Jesus Cristo, colocamos à disposição este pequeno livro com reflexões e orientações práticas sobre o serviço dos coroinhas e acólitos.

O público-alvo, em primeiro, são os ministros leigos, que se ocupam desse ministério nas comunidades de fé, e também os ministros ordenados, que trabalham diretamente com os coroinhas e acólitos nas celebrações.

O texto está disposto em três capítulos, com o método consagrado ver, julgar e agir. O primeiro capítulo, nomeado *O que ser*, descreve como devem ser aqueles que se apresentam para esse serviço. Refere-se ao perfil humano e cristão dos coroinhas-crianças e dos acólitos-jovens. O segundo capítulo, *O que saber*, apresenta, resumidamente, as informações básicas sobre quem exerce esse serviço nas Comunidades e sobre aqueles que se ocupam dessa formação. O terceiro capítulo, *O que fazer*, é voltado para o que se faz e como se faz na prática do ministério desempenhado por coroinhas e acólitos.

Ademais, o SER contempla, com um olhar de sabedoria e gratidão, o empenho devotado à Igreja nesse ministério, nas crianças e nos jovens. O SABER deve provocar neles o desejo de conhecer mais para servir melhor. O FAZER convida a um novo empenho e crescimento, não só com a orientação das rubricas, mas com o espírito da liturgia.

Que esta leitura possa contribuir para que mais pessoas se apropriem do mesmo desejo, ou seja, de celebrar com mais zelo e espiritualidade a vida sacramental da Igreja, no preparo e na celebração. Se atingirmos esse objetivo, terá valido o esforço de revisitar temas antigos, dando-lhes novo espírito e nova linguagem.

1

COROINHAS E ACÓLITOS O QUE SER?

Antes de pensar no serviço a ser desempenhado ou no conhecimento a ser adquirido, devemos falar sobre as pessoas que se apresentam para essa tarefa na Comunidade de fé. Quem são e como devem ser estes cristãos – crianças e jovens – que estão dispostos a ajudar, em uma Paróquia, a celebrar os Mistérios da Fé?

Antes de tudo, sejam pessoas com equilíbrio emocional. Esse é o primeiro quesito e o perfil de quem se apresenta para lidar com as obras de Deus. Dá gosto trabalhar junto ou unir forças e compartilhar a missão com uma criança, um adolescente ou um jovem com equilíbrio e serenidade, ajustado consigo mesmo, com os demais e com o ambiente de trabalho.

Equilibrados são aqueles – coroinhas-crianças e acólitos-jovens – que mantêm a calma e a serenidade em muitas situações, as quais no exercício da missão se apresentam, comprovando o seu equilíbrio emocional e sua adaptação. Cito algumas situações concretas que podem acontecer no exercício do serviço dos coroinhas e acólitos, nas quais lhes serão necessárias estas duas virtudes: equilíbrio e serenidade. Faço em forma de perguntas, falando de situações pastorais que se põem à vista e que exigem equilíbrio emocional, adaptação e serenidade reativa.

Quando alguém deixou de cumprir o serviço: *como devem ser e agir os demais quando um de seus colegas chegou atrasado ou faltou à escala da liturgia?*

Em primeiro lugar, a assembleia, que está reunida aguardando o início de uma celebração, os ministros ordenados e os demais participantes daquela liturgia não devem ser alardeados quando alguém falta à escala, pois só perceberão o fato pela ansiedade ou pela agitação dos demais. E pode ser que isso aconteça várias vezes, mesmo que não devesse acontecer. Ansiedade e agitação não rimam com serenidade e equilíbrio pessoais: dois quesitos básicos para o ser e o fazer de coroinhas e acólitos.

Em segundo lugar, tudo o que se há para dizer, corrigir ou repreender do acontecido não seja feito no espaço da celebração. Nesse caso, a atitude corretiva é certa, mas o lugar a ser feito não. Reúnam-se, depois, em separado, com o coordenador desse serviço, outro dia e em lugar próprio. Sejam feitos os ajustes necessários, sempre pensando no bem da liturgia da comunidade de fé e no respeito a quem errou. E sugere-se que as correções não sejam feitas no momento em que essas situações aconteceram, pois pode ocorrer que, na oportunidade, todos estejam exaltados e se tornem muito exigentes, aceitando menos as justificativas dos faltosos.

Em terceiro lugar, lembre-se de que o mesmo pode acontecer com você. Considere o trânsito e as dificuldades familiares, entre outros motivos.

Quando alguém se descuidou e errou: *como devem ser e agir os demais quando um de seus colegas errou no que e onde realizaria a tarefa?*

Em primeiro lugar, nesse caso, o mais experiente ajude-o, dando-lhe segurança e apoiando suas iniciativas de aprendizagem. Todos têm direito a errar, mesmo os mais aplicados. O principal é estar consciente e trabalhar pelo bom desempenho.

Em segundo lugar, se ficar corrigindo na hora e a toda hora, poderá perder o serviço, o servente e sua família também, pois pode-se ganhar a causa, mas perder as pessoas.

Quando alguém teve "um branco": *como devem ser e agir e como deveriam servir os demais quando um de seus colegas esqueceu o momento?*

Em primeiro lugar, tenha-se presente que se uma pessoa adulta, no desempenho dos serviços litúrgicos, ao realizar os serviços do culto, nas primeiras vezes, pode ter "um branco" e esquecer o que de mais óbvio parece, muito mais pode acontecer com uma criança ou um adolescente que estão começando a exercer sua função. Nesse caso, outro coroinha, acólito, ministro ou o próprio padre salve-o desse embaraço. Mas, sem "cara feia", sem descompor ou destratar, especialmente, em público.

Em segundo lugar, ninguém nasceu sabendo. Pois o que para um é claro e evidente, corriqueiro, "de cor e salteado", como se diz, para o outro, que está começando, tudo é novo e difícil. Somente a experiência vai dando a destreza, segurança e a leveza do serviço.

Em terceiro lugar, lembre-se de que, quando você começou sua missão de coroinha ou de acólito, não era muito diferente, e feliz de quem teve paciência, serenidade e equilíbrio para ajudá-lo.

Então, o que se espera obter no desempenho do coroinha ou do acólito?

1. Algumas metas para trabalhar-se e crescer humana e espiritualmente

a) Reunião semanal

Que coroinhas e acólitos realizem uma reunião, semanal ou mensal, primando pelo equilíbrio e serenidade, desde as situações simples às mais complexas. A reunião tem por finalidade a formação continuada, com estudo e troca de experiências. Na avaliação, pergunte-se: o que poderia ter sido melhor na celebração passada?

b) Aprender fazendo

Que os coordenadores não somente expliquem aos novatos, a partir das normas, mas se exercitem nos serviços, na prática, uma, duas, três vezes. Ensinem fazendo juntos e caminhando ao lado, dando segurança aos inseguros. Na avaliação, perguntem-se: em que momento de meu serviço tive mais dificuldade de fazê-lo?

c) Aprender gota a gota

Que nos ensaios com um coroinha ou um acólito manifestem-se a paciência e a calma com todos. Os que estão sendo iniciados, nessa missão, sejam amparados, emocional e fisicamente, pelos mais experientes. Não aprendemos tudo de uma vez. Também a aprendizagem do serviço do altar, e demais serviços, acontece gota a gota. Na avaliação, pergunte-se: quais os serviços que desempenho que acho mais difíceis?

d) Ser apoiado e não criticado
Que neste contexto, o coroinha ou o acólito busque encontrar dentro de si aquelas virtudes que a Igreja exige-lhe. Que os pais e os familiares sejam os primeiros a apoiá-los, incentivá-los e acompanhá-los nessas iniciativas. Expressões pejorativas ou brincadeiras de mau gosto, pelo uso de uma veste ou dos gestos e da seriedade do serviço, sejam banidas de qualquer ambiente: família, escola, igreja ou rua. Por exemplo, é comum escutar expressões como: "Fulano, sua saia está comprida", ou " Fulano está usando vestido de mulher", ou "Fulano virou padreco". Na avaliação, perguntem-se: já fui criticado ou sofri *bulliyng* por causa de meu serviço?

e) Presença nos ensaios para ajudar
Que as pessoas que participam dos ensaios, em nenhum momento, tornem-se inconvenientes com brincadeiras ou ironias com seus colegas de missão e de fé. Isso não ajuda ninguém. Antes, reprime as iniciativas e deprime qualquer coração, mesmo valente. Quem foi iniciado nesse serviço e se sentiu desamparado ou menosprezado não suportará e deixará o serviço e, às vezes, até a fé e a Comunidade. Na avaliação, pergunte-se: estou à vontade nos ensaios ou tenho medo de perguntar a meus colegas minhas dúvidas?

f) Que os movimentos não viciem e esvaziem o gesto
Que nos ensaios e estudos, na missa ou no culto, coroinhas e acólitos estejam ambientados com as pessoas que, normalmente, comparecem nesta hora, antes, durante ou depois da celebração. Sejam corteses ao cumprimentá-las, não se sobrepondo ao que não lhe convém. Mantenham um silêncio respeitoso, evitando a costumeira agitação, movimentando-se de um lado para outro e perguntando a um ou outro assuntos alheios.

Não é de bom tom interromper as pessoas, seja na concentração pessoal, seja em um grupo de conversa ou passando à frente. Passar várias vezes à frente do altar, cada vez fazendo reverência, torna o gesto banal, viciado e vazio. Uma ida ao presbitério deve ser planejada e pensada para não acontecer de chegar e se perguntar: "o que é mesmo que eu vim fazer aqui?" Na avaliação, pergunte-se: mantive e guardei silêncio e tranquilidade enquanto preparava os materiais para a missa?

g) Sentir-se encorajado nos transtornos
Que toda a Comunidade reconheça e identifique um coroinha ou um acólito como conciliador e ponderado e compreenda a insegurança de um iniciante, evitando comentários pós-celebração. Críticas e observações, por mais familiares que pareçam, podem ferir e desencorajar quem está começando. Lembrem-se da reunião semanal para ajustes e correções fraternas, quando necessárias. Já falamos, anteriormente, que durante as celebrações os coroinhas e os acólitos não têm por missão a palavra. Dela se ocupam, principalmente, os leitores, o animador, os cantores, os intercessores, os salmistas e o presidente da celebração. A comunicação que compete a coroinhas e acólitos é o gesto e a espiritualidade do servir.

h) Silenciar antes, durante e depois da celebração
Que o povo presente nas celebrações perceba um coroinha ou acólito ajustado, que se mostra contido e silencioso, fazendo-se solidário com os erros de quem quer que seja. Recordo que deve reinar um espírito de respeito, antes, durante e depois da celebração. Quem é solidário não deixa ninguém solitário nas dificuldades. O mandamento do amor precede à Ceia de Jesus com os apóstolos: "amai-vos uns aos outros". Mas contido não significa sisudo, servindo à moda do rei e não à moda do servo. Na avaliação, pergunte-se: quando fiz algo de errado ao preparar a credência ou o altar, os meus colegas de serviço foram solidários e me ajudaram ou não me falaram para me criticar na avaliação semanal?

i) Não exigir do iniciante o mesmo do experiente
Que a comunidade tenha presente que um coroinha ou um acólito trabalha no justo limite de sua capacidade. Empenha-se pela harmonia entre o certo e menos certo, aplicando-a, antes a si

que aos outros. Não deverá acontecer que aqueles que já atuam na liturgia há um bom tempo exijam que os demais saibam o mesmo que eles. A quem sabe mais, mais deve compreender quem sabe menos. Antes de criticar, ajude! Quem ajuda nos Mistérios de Cristo seja o primeiro a incorporar em si os seus sentimentos. Recorde da música do Pe. Zezinho: "Um dia uma criança me parou". Nela o autor aponta o caminho do amor: "amar como Jesus amou; sonhar como Jesus sonhou; pensar como Jesus pensou; viver como Jesus viveu; sentir o que Jesus sentia; sorrir como Jesus sorria...". Na avaliação, pergunte-se: recebi cobranças do padre ou dos coordenadores de liturgia como se tivesse que saber tudo como eles?

j) Ser compreendido e ajudado
A caridade exige de quem é atento e ponderado a justeza das emoções de quem chorou, porque errou, esqueceu ou deixou cair. Nessa hora a ajuda é imprescindível, mas seja de tal forma que o remendo e a correção não humilhem ainda mais. "Tudo o que fizerdes ao menor dos meus irmãos foi a mim que fizestes" (Mt 25,31-46). Quem presta socorro ficará lembrado do que já acontecera consigo.

Por fim, o coroinha ou o acólito não deve ser "espaçoso", extrapolando o limite de seu serviço ou interferindo nas tarefas dos demais. Nem deve apresentar-se como um "sabe-tudo", querendo "ensinar o padre a rezar missa". Façam tudo e somente aquilo que, pela função na liturgia, compete-lhes (SC 28). Sejam discretos, ponderados, apaziguadores, procurando com justiça e serenidade o melhor. Lidar com as "coisas" do culto é ocupar-se das "coisas" do Pai, como fazia Jesus aos 12 anos no templo.

Estes três grandes princípios: **equilíbrio, serenidade e justeza**, nas lides do desenvolver do culto, e estas dez sugestões do agir do ser do coroinha, ou do ser do acólito, sejam o modo de ser visível à pergunta: o que dizer do SER do coroinha ou do acólito?

2. Coroinhas e acólitos, vocacionados do altar

Da liturgia, aprendemos que o altar é Cristo. Então podemos dizer que a figura do coroinha e do acólito é a figura de um vocacionado do altar e de Cristo. Vocacionado é o mesmo que chamado. Quem chama é Deus, mas quem responde é a pessoa.

Desde muito cedo, o coroinha e o acólito sentem uma atração por Cristo e o seguem mesmo sem entendê-lo. Vão à missa e às outras orações, porque se sentem atraídos pelo que lá se fala da primeira à última palavra da missa. Cristo, que um dia convidou o bispo e o padre, também repete o convite ao coroinha e ao acólito: "vem e segue-me" (Mt 19,21).

Esse chamado tem a voz interior do coração, mas também tem o tom da voz de uma pessoa concreta. Pode ser de um amigo de catequese, do catequista, de um seminarista, dos pais, do padre, ou mesmo de uma pessoa desconhecida que participou da missa e que, vendo um coroinha ou um acólito servindo a liturgia, deixa escapar um pensamento ou um sentimento em voz alta: esse é um vocacionado para as "coisas" de Deus ou "esse jovem vai ser um padre".

Então começa uma aventura de sua história com Deus, e, de repente, vocês se veem gostando mais de Cristo que seus colegas de aula e que seus amigos, ou mesmo, mais que seus pais e seus irmãos de sangue, mais da Igreja que do mundo e, de repente, começam a querer ir à missa e admiram aqueles que estão próximos do altar. Lembrem-se de que falamos que um coroinha e um acólito são vocacionados do altar e, portanto, de Cristo.

Se vocês se aproximam de quem se aproxima do altar, é porque vocês veem que eles são felizes, e queremos estar perto de pessoas felizes. E, quando veem nos olhos deles o amor a Cristo, também vocês querem para si esse brilho de fidelidade no olhar. Quando isso acontece, é porque seu coração está apaixonado por Cristo e sua Obra.

Assim, quem é vocacionado para o altar é vocacionado de Cristo, pois **servir o altar é servir a Cristo e a sua missão**. O gosto ou a vocação para o serviço do altar é a vocação e o gosto pela Igreja, que é o povo de Deus.

Lembre-se de que já falamos que a vocação é para o altar, usando uma imagem para ajudar coroinhas e acólitos a compreenderem a vocação e o serviço para Cristo e para sua Igreja, pois ninguém que se ocupa do altar o faz para si, mas para a Igreja, que é o corpo de Cristo.

Na Bíblia, Deus chama Samuel, quando ele ainda era um menino (1Sm 3,1-21), para ajudar no templo do Senhor. Samuel não o vê, mas o ouve. No texto bíblico, Deus fala três vezes: Samuel, Samuel, Samuel; e ele responde: "eis-me aqui". Pensa o menino que era Eli, o sacerdote do templo, que lhe falava, mas era Deus em sonho.

Chama nossa atenção a predileção de Deus, chamando Samuel pelo nome e dando-lhe a missão de "profeta". Em outra palavra, convidando-o a tornar-se "seguidor", vocacionado ao serviço do templo e do altar.

Com certeza, a voz de Deus, que o chamava em sonho, era o próprio sonho de Samuel para ajudar Eli no serviço do templo e do altar. Não seria o desejo de Samuel retratado no sonho? A resposta de Samuel não seria seu desejo concretizado?

Como a figura de Samuel, vocês também são convidados, seja em sonho, seja acordados, a iniciar uma aventura de uma vida de seguimento a Cristo. Esse serviço nasce da admiração dos que servem o altar e do desejo de fazer o mesmo. Esse desejo é ainda um modo de dizer que Deus continua, hoje, a chamar outros, como Samuel, e entregar-lhes uma missão. Por isso, a missão a que Samuel responde é o seu desejo de compartilhar a tarefa de natureza batismal para entregar-se a Deus em uma Comunidade de Fé. Na Comunidade concreta, coroinhas e acólitos respondem ao chamado: "Eis-nos aqui, Senhor. Queremos ajudar nossa Comunidade a celebrar sua fé ao redor do altar, pois somos chamados para o serviço do altar".

3. Diferença entre coroinha e acólito

Precisamos clarear essa diferença. Falamos dos acólitos, que também se subdividem entre os que são instituídos acólitos, como parte do processo formativo dos clérigos, antes do diaconato e da ordenação sacerdotal, e os leigos instituídos acólitos para o serviço de ministros extraordinários da comunhão eucarística, para auxiliarem o sacerdote nos serviços do altar e para a assistência aos idosos e doentes fora do culto.

3.1. Acólitos instituídos com fins de ordenação sacerdotal

A palavra acólito vem do grego *akolutein* e significa, originalmente, acompanhante ou seguidor. Vem da raiz *kelenthos*, para indicar caminho ou aquele que faz o caminho. Desde os primeiros séculos, temos testemunhos de que entre os vários ministérios litúrgicos, a Igreja apresenta o ministério dos acólitos. Em tempos idos, fazia parte das Ordens Menores e era o estágio mais elevado daqueles que se encaminhavam para o sacerdócio. Ainda hoje:

> Os candidatos ao Diaconato e ao Presbiterato deverão receber o ministério de acólito, se o não tiverem já recebido, e exercê-lo por tempo conveniente, a fim de melhor se preparar para o futuro ministério da Palavra e do Altar (CB, n. 790).

Por meio do Motu próprio *Ministeria Quaedam* de Paulo VI, de 15 de agosto de 1972, a "ordem menor" foi substituída pela instituição do "ministério" (*ministerium*) de acólito. A Igreja institui e reconhece esse ministério para auxiliar os padres e diáconos e representá-los, quando necessário, na distribuição da Sagrada Comunhão na missa, ou levando-a aos enfermos, seja em casa, seja nos hospitais.

Os acólitos servem nas procissões, conduzem a cruz, o incenso ou o livro. Preparam altar e/ou purificam no final os vasos sagrados. Auxiliam na preparação do altar para a apresentação e na coleta de dons. Instruem os ajudantes e coroinhas (cf. IGMR, p. 187-193; CB, n. 29). Podem também retirar o Santíssimo e expô-lo à adoração, sem, contudo, dar a bênção. Sobre sua atitude espiritual, fala o Rito de Instituição de acólitos:

> A sua atitude espiritual, como ministro instituído, aponta para a Eucaristia, para o amor aos sacramentos, para o culto eucarístico, para a oferenda de si mesmo e para o cuidado dos outros, sobretudo dos mais necessitados e doentes (Cf. Ritual de Ordenação de Bispos, Presbíteros e Diáconos. Apêndice II, Rito de Instituição de acólitos, n. 4).

3.2. Acólitos: leigos instituídos como Ministros da Sagrada Comunhão Eucarística

Também se chamam acólitos os que, sem estar instituídos nesse ministério, de maneira estável e oficial, colaboram com seu serviço em função do altar. Tanto as crianças-coroinhas e os jovens-acólitos realizam os mesmos serviços, exceto a distribuição da Sagrada Comunhão e a exposição do Santíssimo para o Culto Eucarístico. Esse serviço é desempenhado por homens e mulheres [1].

3.3. Coroinhas: servidores do altar e outras funções

Coroinhas, meninos e meninas, são chamados servidores do altar ou ajudantes de missa. São um ou mais ajudantes, à disposição do sacerdote durante a celebração litúrgica. Prestam um serviço nas celebrações como os demais. Justifica-se o seu ministério pela necessidade de servir à liturgia e tem como tarefa especial a procissão com a cruz e os candelabros, o turíbulo, o lavabo e os serviços simi-

---

[1] Em março de 1994, a Congregação para o Culto divino, interpretando o cânone, falando dos leitores, monitores e cantores, diz que, por extensão, o serviço do altar pode ser desempenhado tanto por homens como mulheres e deixa a critério de cada bispo, ouvido o parecer da própria Conferência Episcopal.

lares. Na falta de diáconos e acólitos instituídos, preparam o altar e levam o missal, a bandeja com o pão e as jarras com o vinho e água para o altar.

A renovação litúrgica trouxe o reavivamento de muitos ministérios litúrgicos. No início, o ministério do coroinha não fora bem compreendido e sofreu um recuo inicial, superado com o tempo. Os coroinhas têm veste própria ou veste canônica, batina e sobrepeliz. Para as crianças as vestes podem ser coloridas. Quer sejam meninos ou meninas, rapazes ou moças devem ocupar o espaço do presbitério em lugar discreto, não sentando ao lado do presidente, nem se postando ao seu lado no altar, de frente para o povo, mas num lugar lateral, de onde possam exercitar seu serviço de ajudar sem a necessidade de "compartilhar a presidência" com o sacerdote. Os coroinhas não são instituídos, nem desempenham um serviço estável. Com os cantores e animadores e leitores, desempenham um serviço que se constitui mais em uma ajuda ao sacerdote nas procissões, na preparação do altar, em trazer e retirar os vasos sagrados e sustentar os livros etc. Seu serviço torna-se a imagem representativa da Comunidade cristã também formada por crianças e jovens. Sua presença e a ajuda na celebração são a imagem positiva da comunidade, o motivo de alegria para todos.

4. A vida cristã de coroinhas e de acólitos

O título é sugestivo e provocante, mas é necessário que coroinhas e acólitos sejam observados e avaliados e só depois sejam escolhidos e preparados para seu exercício no culto. Assim, para não dar o tema por subentendido, é importante salientar que não são duas pessoas, uma a que atua na missa e a outra fora dela. No serviço ao culto se tornam pessoas públicas das quais se exige reputação e pública estima. E isso não se deve supor que saibam. É preciso dizer-lhes para que não aconteça de escandalizarem o povo.

Vamos falar sobre essa coerência necessária e levantar alguns elementos referentes à vida desses cristãos batizados, no desempenho do serviço de acólito e coroinha, ou fora dele. Faremos algumas reflexões no que diz respeito à vida pessoal, familiar, ao relacionamento com os demais de sua faixa etária e na Comunidade/Igreja. Sublinho: não é um paramentado e outro com roupa civil. Não é um à frente do altar e outro no grupo de amigos. Não é um, real, de carne e osso à frente da assembleia e o outro virtual, nas telas das diversas plataformas de comunicação. Não é um dentro da sacristia e outro fora na procissão etc. Por mais que não se deve exigir santidade, o povo cobra coerência entre o que se diz e é, dentro da igreja, e o que diz e é, fora dela.

4.1. A vida cristã pessoal

Certa vez ouvi de uma pessoa em uma Paróquia onde atuava, referindo-se a um ministro leigo que servia o altar: "É, padre, tenho dificuldade de receber a comunhão das mãos de fulano, pois o que ele diz com as palavras, desdiz com sua vida. De manhã serve o altar, à tarde e à noite trata com violência a própria família, esposa e filhos".

O exemplo concreto também serve para todos os que servem o culto, entre eles, os coroinhas e acólitos. O padre, em primeiro, depois aqueles e aquelas que colaboram na liturgia. Lembre-se de que, para o povo, o rosto de Deus é o rosto daqueles que cercam o padre ou circundam o altar. Perfeito só o é Deus, mas a nós é, também, pedido o testemunho evangélico com as palavras e com a vida. Jesus diz: "Sede perfeitos como vosso Pai é perfeito" (Mt 5,48).

Algumas recomendações pessoais e pastorais:

1. Coroinha e acólito, a perfeição evangélica exige um modo coerente de ser e viver, no culto dentro da igreja e na vida fora dela. Cuidem da duplicidade, não se deve servir a dois senhores.
2. Coroinha e o acólito, vocês não podem ser con-tratestemunhas incoerentes no comportamento. Não há uma pessoa dentro e outra pessoa fora da Igreja.

3. Coroinha e acólito, cuidem da linguagem usada, seja na preparação para iniciar a missa, seja no conteúdo usado nas plataformas digitais, especialmente quando este se refere às pessoas. Volto a lembrar que é a mesma pessoa a servir o altar, caminhar processionalmente ou trazer os dons ao altar, jogar, ir ao shopping, à escola, à balada.
4. Coroinha e acólito, zelem por uma relação interpessoal sadia, transparente e sincera.
5. Coroinha e acólito, vivam como pessoas "normais". Todo o exagero é reprovável, mesmo os relacionados com o serviço ao culto. Um ditado popular diz que *quando a promessa é demais até o santo desconfia*. Não é próprio da idade infantil ou juvenil estereótipos dentro do culto se parecendo mais santo que São Tarcísio.

4.2. A vida cristã na família

Deus escolhe e elege aqueles que Ele quer. A experiência comprova que, em cada casa e em cada família, um, entre os demais, dedica-se mais intensamente à Igreja e a Deus. E assim é visto na vida familiar e quase sempre mais cobrado por sua opção de fé, especialmente, pelos que menos participam. Quando se trata de uma criança, um adolescente ou um jovem, estes devem ser apoiados e ajudados pela família, ser orientados a não queimar etapas. Uma criança tem atitudes de criança e não de adulto. Não queira, por certo, que um adolescente prefira conviver com o grupo de homens e mulheres da terceira idade, nem os pais exijam tal comportamento que não seja o de sua faixa etária. Não é porque participa e colabora na missa, em que predominam pessoas adultas e idosas, que deve agir como estes e posicionar-se de igual modo.
 Coroinha e acólito, sejam o que vocês forem, serão mais aceitos se agirem à altura da idade. A pressão familiar pela maturidade pode fazer com que o coroinha desanime de sua tarefa e,

em alguns casos, abandone definitivamente, não só sua missão de coroinha ou acólito, mas abandone também a Igreja e a fé.

4.3. A vida cristã na comunidade/Igreja

A vida cristã de qualquer batizado é a mesma vida cristã que se exige de um coroinha e de um acólito. Já falamos sobre o estilo da vida de fé pessoal e familiar. Agora, prosseguimos nosso itinerário, situando crianças-coroinhas e jovens-acólitos e jovens no contexto da Comunidade/Igreja. A comunidade de fé é o lugar do exercício do serviço de coroinhas e acólitos.

Algumas pontuações em destaque:

1. O coroinha e o acólito devem cultivar um coração que ame a Igreja como uma mãe que gera e nutre sua vida espiritual. Amar a Igreja é para o coroinha e o acólito o primeiro passo e seu primeiro testemunho na comunidade de fé.

2. Amar e testemunhar o amor pela Igreja será, na prática, o que irão dizer quando a ela se referirem. O primeiro testemunho é a presença, o segundo é a palavra, por mais simples que seja. Nela os cristãos identificam-se e se revelam.

3. O testemunho de amor do acólito e do coroinha se traduz em elo de serviço que desempenha no culto e na comunidade de fé que dela participam. O ideal cristão será servir e participar conforme sua faixa etária, com o que já aprenderam em sua formação e com a capacidade de suas humanas forças.

4. A comunidade/Igreja se edifica quando vê os coroinhas e acólitos postando-se com respeito na igreja, fazendo a genuflexão ao entrar e sair. Sem tititi, sem observações sobre a roupa, cabelos ou os calçados de seus colegas ou de membros da Comunidade/Igreja. Muito menos comentários maldosos ou críticas sobre a vida de pessoas da comunidade.

5. A vida, o testemunho e o trabalho de coroinhas e acólitos também passam pela formação pessoal e comunitária. Saber é poder. Quanto mais vocês estudarem, lerem, conhecerem a palavra da Igreja, mais vocês serão reconhecidos, valorizados e respeitados. Mas não queiram ensinar o padre a rezar missa. Tudo ao seu tempo e na hora certa.

4.4. A vida cristã entre crianças e jovens

Tanto coroinhas quanto acólitos devem conviver com crianças e jovens de sua idade. Mesmo que em casa convivam com pessoas de faixa etária diferente, devem identificar-se mais com outras crianças e jovens de sua idade. Não é de bom tom que prefiram os adultos e os idosos, mesmo que por segurança e proteção. Criança gosta de estar com criança, adolescentes com adolescentes, adultos com adultos.

A convivência, seja para os coroinhas – meninos e meninas – ou para acólitos – jovens homens e jovens mulheres –, deve ser adequada à idade. Essa sadia convivência entre os seus pares far-lhes-á ser e agir como seres humanos normais. Haverá um seguro amadurecimento sem ultrapassar etapas de seu crescimento. O serviço pastoral paroquial deverá cuidar desse aspecto.

Vejam bem: não que não possam estar com os adultos. O problema está quando só querem andar com os idosos como se assim fossem.

Atenção e orientação:
  1. Se um coroinha-criança, menino ou menina, não gosta de estar com as outras crianças de sua idade, deve ser ajudado no sentido de ver o que está acontecendo. Se é timidez, dificuldade de relacionamento ou insegurança, buscando nos idosos adultos proteção, afeto e segurança, com respeito e delicadeza, procure conversar e ajudar a integrá-los com os demais de sua idade para ser presença vocacional de Cristo e da Igreja entre crianças.
  2. Se um jovem-homem ou uma jovem-mulher não procurarem identificar-se com os jovens de sua idade, de-

verão ser orientados e ajudados a buscar entre os seus pares uma sadia convivência. Essa identificação amistosa e essa cumplicidade sadia de gostos pessoais, culturais, intelectuais, de convicções de fé, ética e comunidade ajudarão jovens homens e jovens mulheres a seguirem o testemunho dos acólitos, promovendo o testemunho vocacional e gerando novos membros para esse serviço na Igreja.

3. A predominância de convivência de coroinhas-crianças entre os seus da faixa etária tem por objetivo o testemunho cristão vocacional, no sentido de encantar outras crianças para esse serviço na Igreja. O mesmo podemos afirmar de acólitos-jovens, que, aproximando-se de outros jovens, possam atraí-los ao discipulado de Jesus de Nazaré, no serviço à liturgia.

2

COROINHAS E ACÓLITOS O QUE SABER?

1. Sobre a Eucaristia

A Eucaristia plenifica a Iniciação Cristã (Batismo – Confirmação – Eucaristia). Pelo batismo fomos elevados à dignidade do sacerdócio de Cristo e confirmados a Ele pela Confirmação, participando, assim, da Eucaristia. O Catecismo da Igreja, citando a Constituição Litúrgica *Sacrosanctum Concilium*, afirma:

> O nosso Salvador instituiu na última ceia, na noite em que foi entregue, o sacrifício eucarístico do seu corpo e sangue, para perpetuar pelo decorrer dos séculos, até voltar, o sacrifício da cruz, confiando à Igreja, sua esposa amada, o memorial da sua morte e ressurreição: sacramento de piedade, sinal de unidade, vínculo de caridade, banquete pascal em que se recebe Cristo, a alma se enche de graça e nos é dado o penhor da glória futura (CIC, n. 1323).

A Eucaristia contém todo o bem espiritual da Igreja, a saber, o próprio Cristo, nossa Páscoa. Nela está o ponto alto tanto da ação pela qual, em Cristo, Deus santifica o mundo, quanto no culto que no Espírito Santo os homens prestam a Cristo, e, por Ele, ao Pai. Enfim, pela celebração eucarística, unimo-nos desde já à Liturgia do céu e antecipamos a vida eterna, quando "Deus for tudo em todos"(1Cor 15,18).

2. Sobre os nomes dados à Eucaristia e seu significado (CIC 1328-1332)

Eucaristia: significa ação de graças a Deus. As palavras *eucharistein* (Lc 22,19; 1Cor11,24) e *eulogein* (Mt 26,26; Mc 14,22), do grego, lembram as bênçãos judaicas que proclamam – sobretudo durante a refeição – as obras de Deus: a criação, a redenção e a santificação.

Ceia do Senhor: porque se trata da ceia que o Senhor comeu com os discípulos, na véspera de sua paixão, e da antecipação do banquete nupcial do Cordeiro na Jerusalém celeste.

Fração do Pão: porque este rito próprio da refeição dos judeus foi utilizado por Jesus quando abençoava e distribuía o pão como chefe de família, sobretudo na última ceia. É por esse gesto que os discípulos o reconhecerão depois de sua ressurreição (Lc 24,35) e é com essa expressão que os primeiros cristãos designarão suas assembleias eucarísticas. Repartir o pão significa que todos os que comem do único pão partido, que é Cristo, entram em comunhão com Ele e formam um só corpo nele.

Assembleia eucarística: porque a Eucaristia é celebrada em assembleia de fiéis, expressão visível da Igreja.

Santo Sacrifício: porque atualiza o único sacrifício de Cristo Salvador e inclui a oferenda da Igreja; ou ainda *santo Sacrifício da Missa*, *"Sacrifício de louvor"* (Hb 13,15).

Sacrifício espiritual/Sacrifício puro e santo: pois completa e ultrapassa todos os sacrifícios da Antiga Aliança.

Santa e divina Liturgia: porque toda a liturgia da Igreja encontra seu centro e sua expressão mais densa na celebração deste sacramento.

Santíssimo Sacramento: porque é o sacramento dos sacramentos. E, com esse nome, designam-se as espécies eucarísticas guardadas no sacrário.

Comunhão: pois é por esse sacramento que nos unimos a Cristo, o qual nos torna participantes de seu corpo e de seu sangue, para formarmos um só corpo; chama-se ainda *as coisas santas* – sentido primário da "comunhão dos santos" de que fala o creio – *pão dos anjos, pão do céu, remédio da imortalidade, viático...*

Santa Missa: porque a liturgia em que se realiza o mistério da salvação termina com o envio dos fiéis, para cumprirem a vontade de Deus em sua vida cotidiana. E porque terminada a missa inicia a missão.

3. Eucaristia: instituição, celebração, ação de graças, banquete e penhor da glória

a) Instituição

Tendo amado os seus, o Senhor amou-os até ao fim. Sabendo que era chegada a hora de partir deste mundo para regressar ao Pai, no decorrer de uma refeição, lavou-lhes os pés e deu-lhes o mandamento do amor (Jo 13,1-15). Para lhes deixar uma garantia deste amor, para jamais se afastar dos seus e para os tornar participantes de sua Páscoa, instituiu a Eucaristia como memorial da sua morte e da sua ressurreição, e ordenou aos seus Apóstolos que a celebrassem até o seu regresso, "constituindo-os, então, sacerdotes do Novo Testamento" (CIC 1337).

No centro da celebração da Eucaristia, estão o pão e o vinho que, pelas palavras de Cristo e pela invocação do Espírito Santo, tornam-se o corpo e o sangue do mesmo Cristo. Fiel à ordem do Senhor, a Igreja continua a fazer, em memória dele e até a sua vinda gloriosa, o que Ele fez na véspera de sua paixão: "Tomou o pão..."; "Tomou o cálice com vinho..." (CIC 1333).

b) Celebração

Os cristãos encontram-se em um mesmo lugar para a assembleia eucarística. A cabeça deste corpo eclesial é o próprio Cristo, que é o ator principal da Eucaristia. Ele é o Sumo-Sacerdote da Nova Aliança. É Ele próprio que preside invisivelmente a toda a celebração eucarística. E é em representação dele (agindo – na pessoa de Cristo-Cabeça), que o bispo ou o presbítero preside à assembleia, toma a palavra depois das leituras, recebe as oferendas e diz a oração eucarística. Nessa assembleia todos têm sua parte ativa na celebração, cada qual a seu modo: os leitores, os que trazem as oferendas, os que distribuem a comunhão e todo o povo, cujo amém manifesta a participação (Cf. CIC 1348).

c) Ação de graças

A Eucaristia, sacramento de nossa salvação realizada por Cristo na cruz, é também um sacrifício de louvor em ação de graças pela obra da criação. Na eucaristia toda a criação, amada por Deus, é apresentada ao Pai, por meio da morte e ressurreição de Cristo. Por Cristo, a Igreja pode oferecer o sacrifício de louvor em ação de graças a tudo o que Deus fez de bom, belo e justo, na criação e na humanidade.

A Eucaristia é ação de graças ao Pai, uma bênção pela qual a Igreja exprime o seu reconhecimento a Deus por todos os seus benefícios, por tudo o que Ele fez mediante a criação, a redenção e a santificação. Eucaristia significa, antes de mais nada, "ação de graças".

d) Sacrifício de louvor

A Eucaristia é o sacrifício de louvor, pelo qual a Igreja canta a glória de Deus em nome de toda a criação. Esse sacrifício de louvor só é possível por meio de Cristo: Ele une os fiéis a sua pessoa, a seu louvor e a sua intercessão, de maneira que o sacrifício de louvor ao Pai é oferecido *por* Cristo e *com* Cristo, para ser aceito em Cristo (CIC 1359-1361).

e) Comunhão

A Missa é, ao mesmo tempo e inseparavelmente, o memorial sacrificial, em que se perpetua o sacrifício da cruz e o banquete sagrado da comunhão do corpo e sangue do Senhor. Mas a celebração do sacrifício eucarístico está toda orientada para a união íntima dos fiéis com Cristo pela comunhão. Comungar é receber o próprio Cristo, que se ofereceu por nós. O Senhor dirige-nos um convite insistente para que o recebamos no sacramento da Eucaristia: "Em verdade, em verdade vos digo: se não comerdes a carne do Filho do Homem e não beberdes o seu sangue, não tereis a vida em vós" (Jo 6,53).

f) Páscoa definitiva

Na última ceia, o próprio Senhor chamou a atenção de seus discípulos para a consumação da Páscoa no Reino de Deus: "Eu vos digo que não voltarei a beber deste fruto da videira, até o dia em que beberei convosco o vinho novo no Reino do meu Pai" (Mt 26,29). Sempre que a Igreja celebra a Eucaristia, lembra-se dessa promessa, e o seu olhar volta-se para "Aquele que vem" (Ap 1,4). A Igreja sabe que, desde já, o Senhor vem em sua Eucaristia e que está ali, no meio de nós. Mas essa presença é velada. E é por isso que nós celebramos a Eucaristia, enquanto aguardamos a feliz esperança e a vinda de Jesus Cristo, nosso Salvador, pedindo a graça de sermos acolhidos com bondade no vosso Reino, onde também nós esperamos ser recebidos, para vivermos eternamente na vossa glória, quando enxugardes todas as lágrimas de nossos olhos; e, vendo-vos tal como sois, Senhor nosso Deus, seremos para sempre semelhantes a vós e cantaremos sem-fim vossos louvores, por Jesus Cristo, nosso Senhor (cf. CIC 1402-1405).

g) Presença de Cristo

"Jesus Cristo, que morreu, que ressuscitou, que está à direita de Deus, que intercede por nós" (Rm 8,34), está presente em sua Igreja de múltiplos modos: em sua Palavra, na oração da sua Igreja, "onde dois ou três estão reunidos em Meu nome" (Mt 18,20), nos pobres, nos doentes, nos prisioneiros, em seus sacramentos, dos quais é o autor, no sacrifício da missa e na pessoa do ministro. Mas está presente, "sobretudo, sob as espécies eucarísticas". O modo da presença de Cristo sob as espécies eucarísticas é único.

Concluímos, citando o Documento de Aparecida:

> A Eucaristia é o lugar privilegiado do encontro do discípulo com Jesus Cristo. Com esse Sacramento, Jesus nos atrai para si e nos faz entrar em seu dinamismo em relação a Deus e ao próximo. Há um estreito vínculo entre as três dimensões da vocação cristã: crer, celebrar e viver o mistério de Jesus Cristo, de tal modo, que a existência cristã adquira verdadeiramente uma forma eucarística. Em cada Eucaristia, os cristãos celebram e assumem o mistério pascal, participando nele. Portanto, os fiéis devem viver sua fé na centralidade do mistério pascal de Cristo, por meio da Eucaristia, de maneira que toda sua vida seja cada vez mais vida eucarística. A Eucaristia, fonte inesgotável da vocação cristã, é, ao mesmo tempo, fonte inextinguível do impulso missionário. Ali, o Espírito Santo fortalece a identidade do discípulo e desperta nele a decidida vontade de anunciar, com audácia, aos demais o que tem escutado e vivido (DAP 251).

4. A missa: suas partes e seus gestos

4.1. As partes da missa

a) Ritos iniciais

Os ritos têm por finalidade fazer com que os fiéis, reunindo-se em assembleia, constituam uma comunhão e se disponham a ouvir atentamente a palavra de Deus e celebrar dignamente a Eucaristia. (Cf. IGMR 46). Fazem parte dos ritos iniciais:

- Procissão e canto
- Saudação, beijo do altar e saudação ao povo reunido
- Ato Penitencial
- Kyrie (Senhor, tende piedade)
- Glória (Exceto no Tempo do Advento e da Quaresma)
- Oração do dia ou coleta

b) Liturgia da Palavra

A parte principal da Liturgia da palavra é constituída pelas leituras da Sagrada Escritura e pelos cantos que ocorrem entre elas, sendo desenvolvida e concluída pela homilia, a profissão de fé e a oração universal dos fiéis (cf. IGMR 55). Fazem parte da Liturgia da Palavra:

- 1ª leitura
- Salmo Responsorial
- 2ª leitura
- Aclamação ao Evangelho
- Evangelho
- Homilia
- Credo
- Orações dos fiéis ou universal

c) Liturgia Eucarística

Cristo, na última ceia, tomou o pão e o cálice, deu graças, partiu o pão e deu-o a seus discípulos dizendo: "Tomai, comei e bebei; isto é meu Corpo; este é o cálice do meu Sangue. Fazei isto em memória de mim". Por isso a Igreja dispôs toda a celebração da liturgia eucarística em partes que correspondem às palavras e aos gestos de Cristo (cf. IGMR 72). Fazem parte da Liturgia Eucarística:

- Preparação das ofertas
- Oração sobre as oferendas
- Oração Eucarística

d) Rito da Comunhão

Sendo a celebração eucarística a ceia pascal, convém que, segundo a ordem do Senhor, o seu Corpo e Sangue sejam recebidos como alimento espiritual pelos fiéis devidamente preparados (cf. IGMR 80). Fazem parte do rito da comunhão:

- Pai-nosso
- Abraço da paz
- Cordeiro
- Momento da Comunhão
- Oração pós-comunhão

e) Rito de encerramento

O rito de encerramento consta da saudação e bênção do sacerdote, que, em certos dias e ocasiões, é enriquecido e expresso pela oração sobre o povo ou por outra fórmula mais solene, e da própria despedida da assembleia, a fim de que todos voltem às atividades louvando e bendizendo o Senhor com suas boas obras (cf. IGMR 90). Fazem parte do rito de encerramento:

- Pequenos comunicados
- Saudação e bênção final
- Despedida e envio

4.2. Os gestos usados

Nas celebrações litúrgicas, como na vida social, os gestos corporais exteriorizam e exprimem os sentimentos interiores de adoração, de louvor, de súplica, de oferecimento e acolhimento, de dor e alegria (cf. ALDAZÁBAL, p. 155-157). É importante observar as orientações dadas para os gestos da missa (cf. IGMR 42-44):

* A postura uniforme como sinal de unidade.
* A obediência às monições, os gestos e posturas mais adequadas a cada momento da celebração.
* A adaptação das Conferências Episcopais à própria cultura e índole.

a) O sentar-se
É uma posição cômoda que favorece a catequese, boa para ouvir as leituras, a homilia e meditar. É a postura que mais favorece a concentração e a meditação; é a postura própria de quem ensina e de quem tem autoridade.
É a atitude de quem fica à vontade e ouve com satisfação, sem pressa de sair. Na missa, sentamo-nos para ouvir as leituras, cantar o salmo, ouvir a homilia, durante a preparação das oferendas e após a comunhão.

b) O estar de pé
É uma posição de quem ouve com atenção e respeito, tendo muita consideração pela pessoa que fala. Indica prontidão e disposição para obedecer. Foi, desde o início da Igreja, a posição do "orante". A Bíblia diz: "Quando vos puserdes em pé para orar, se tendes alguma coisa contra alguém, perdoai-lhe, para que também o vosso Pai que está nos céus vos perdoe as vossas ofensas" (Mc 11,25). Falando dos bem-aventurados, João vê uma multidão, de vestes brancas, "de pé, diante do Cordeiro", que é Jesus (Ap 7,9).
Na Missa ficamos de pé nos Ritos Iniciais, na Aclamação ao Evangelho e durante a sua proclamação, na Profissão de Fé (Credo), durante a Oração Eucarística e na Bênção Final.

c) De joelhos
De início, o cristão ajoelhava-se somente nas orações particulares. Depois toda a comunidade passou a ajoelhar-se em tempo de penitência.
Ajoelhar-se perante alguém era sinal de homenagem a um soberano. Hoje, significa adoração a Deus. São Paulo diz: "Ao nome de Jesus se dobre todo joelho, no céu, na terra e debaixo da terra" (Fl 2,10). Rezar de joelhos é mais comum nas orações individuais.

"Pedro, tendo mandado sair todos, pôs-se de joelhos a orar" (At 9,40). É uma atitude mais pessoal que comunitária. Esse gesto deve ser feito diante do Santíssimo Sacramento e durante a consagração do pão e do vinho.

d) Genuflexão

É um gesto de adoração a Jesus na Eucaristia. Fazemos quando entramos na Capela do Santíssimo e dela saímos, ou em uma igreja, se ali existir o sacrário com as Hóstias Consagradas. Também fazemos genuflexão diante do crucifixo na Sexta-feira Santa, em sinal de adoração (não é adoração à cruz, mas ao mistério que nela se encerra).

O ato de genuflexão acontece quando nos aproximamos da pessoa, ou do objeto a ser reverenciado, e apoiamos nosso joelho direito no chão. Indica humildade e submissão.

e) Inclinação

Inclinar-se diante de alguém é sinal de grande respeito. É também sinal de veneração diante do Santíssimo Sacramento (principalmente quando o acólito segura algum material) e de respeito diante do altar. Os fiéis podem inclinar a cabeça para receber a bênção solene, logo após o convite do diácono ou do sacerdote. Inclinamos o corpo ao entrar no recinto sagrado, na frente do altar, de um ícone de Cristo, da Mãe de Deus, ao dar ou receber a incensação, na confissão geral e no rito comunitário da Penitência (cf. ALDAZÁBAL, p. 177; PASTRO, p. 181).

f) Impor as mãos

É sinal de bênção e reconciliação, de invocação do Espírito Santo. É o gesto de transmissão de um cargo e libertação de uma opressão. Transmissão de cura e vida. É também expressão de exorcismo na bênção da água batismal, ao absolver um pecador, como gesto sobre o penitente, na unção dos enfermos, nas ordenações, no matrimônio, nas profissões religiosas e bênção às pessoas em geral (cf. PASTRO, p. 181).

g) Procissão

Na missa podemos fazer diversas procissões, se forem convenientes: na entrada, antes da proclamação do Evangelho, nas oferendas, na comunhão. A História da Salvação começou com uma "procissão": Abraão e sua família caminhando para a terra prometida. Nossas procissões simbolizam a peregrinação do Povo de Deus para a casa do Pai. Somos uma Igreja "peregrina". Pastro afirma que o caminhar, processionalmente, faz-se com solene gravidade, é lento e ordenado, pois visa a um fim. Às vezes, essa entrada é mais solene, como nas confirmações, primeiras comunhões, ordenações, profissões religiosas, missas estacionais (celebradas pelos bispos).

h) Mãos levantadas ou estendidas

É atitude dos "orantes", de louvor e invocação. Significa súplica e entrega a Deus. É o gesto aconselhado por Paulo a Timóteo: "Quero, pois, que os homens orem em qualquer lugar, levantando ao céu as mãos puras, sem ira e sem contendas" (1Tm 2,8).

i) Mãos juntas ou postas

Significa recolhimento interior, busca de Deus, fé, súplica, confiança e entrega da vida. É atitude de profunda piedade. Essa é a posição em que devemos estar durante as celebrações. Juntar as palmas das mãos durante a liturgia é atitude de submissão, dos escravos que se deixam amarrar, de propriedade e de pertença a outrem.

j) O beijo

Sinal de comunhão de amor e reverência, de troca de vidas (sopro). É o primeiro e último grande gesto do sacerdote presidente para com o altar. Sempre que aparece na liturgia, quer expressar uma atitude de saudação, de amor, de afeto, de comunhão com Cristo. Na liturgia, beija-se o altar, o evangeliário e a cruz na Sexta-feira Santa. Esse gesto pode estar presente também na saudação da paz e, após o consentimento, no rito das alianças na celebração matrimonial.

k) O cantar

É uma maneira de louvar a Deus, pois, por meio do canto, a alma humana expressa a dor e a alegria, a fé e o amor. Não se deve considerar o canto acrescentado, extrinsecamente, à oração, mas como algo que brota do mais profundo da alma em oração e louvor a Deus (Cf. IGLH 270).

l) Prostração

Gesto muito antigo, bem ao gosto dos orientais. Estes se prostravam com o rosto na terra para orar. Assim fez Jesus no Horto das Oliveiras (Mt 26,39). Hoje, essa atitude é própria de quem se consagra a Deus, como na ordenação sacerdotal e na Sexta-feira da Paixão. Significa morrer para o mundo e nascer para Deus, com uma vida nova e uma nova missão.

m) O silêncio

O silêncio tem seu valor na oração. Ajuda o aprofundamento nos mistérios da fé. "O Senhor fala no silêncio do coração." É oportuno fazer silêncio depois das leituras, da homilia e da comunhão, para interiorizar o que o Senhor disse. Meditar é também uma forma de participar. Uma missa, se não tivesse nenhum momento de silêncio, seria como "chuva forte e rápida que não penetra na terra". Pastro conclui: "Quanto mais uma comunidade compreender a liturgia, mais fará silêncio. O silêncio interior leva à primeira atitude litúrgica: a escuta" (PASTRO, p. 183).

n) O sinal da cruz

O começo e o término da missa dão-se com esse gesto. É o distintivo do cristão e marca todos os momentos grandes e pequenos de nossa vida: ao levantar, ao começar um trabalho, às refeições e sobre objetos e pessoas. Exprime, por palavras e gestos, os maiores mistérios da fé.

***

O quadro a seguir serve para ilustrar cada um dos momentos da celebração e o gesto subsequente. Cada uma dessas partes requer uma postura adequada de modo que, seja a assembleia ou aqueles que executam as ações litúrgicas, todos participem com as palavras e os gestos, colhendo com maior eficácia os frutos do Mistério Celebrado.

Posturas adequadas durante a missa			
Ritos Iniciais	Monição ambiental		em pé
	Canto de entrada		em pé
	Acolhida e saudação		em pé
	Ato penitencial		em pé
	Hino de louvor (Glória)		em pé
	Oração "coleta"		em pé
Liturgia da Palavra	Monição à Liturgia da Palavra		sentados
	Proclamação da 1ª Leitura		sentados
	Salmo Responsorial		sentados
	Proclamação da 2ª Leitura		sentados
	Canto de aclamação ao Evangelho		em pé
	Proclamação do Evangelho		em pé
	Homilia (pregação)		sentados
	Profissão de fé (Creio)		em pé
	Oração dos fiéis		em pé
Liturgia Eucarística	Preparação das Oferendas	Canto e Procissão das Oferendas	sentados
		Apresentação do pão e do vinho	sentados
		Presidente lava as mãos	sentados
		Orai, irmãos!	em pé
		Oração sobre as Oferendas	em pé

Liturgia Eucarística	Oração Eucarística ou Anáfora	Prefácio e "Santo"	em pé
		Invocação do Espírito Santo	em pé
		Narrativa da Ceia	de joelhos
		Consagração do pão e do vinho	de joelhos
		"Eis o Mistério da fé!"	em pé
		Lembra Morte e Ressur. de Jesus	em pé
		Orações pela Igreja	em pé
		Doxologia (Por Cristo...)	em pé
Liturgia Eucarística	Rito da Comunhão	Pai-nosso e oração seguinte	em pé
		Saudação da Paz	em pé
		Fração do Pão	em pé
		Cordeiro de Deus	em pé
		Felizes os convidados!	em pé
		Distribuição da Comunhão	sentados
		(Canto de ação de graças)	sentados
		Oração após a Comunhão	em pé
Ritos Finais		Comunicados e convites	em pé
		Bênção final	em pé
		Despedida (Ide em paz!)	em pé

5. Os lugares da celebração

5.1. Altar: o lugar do sacrifício e da ceia

Mesa onde se realiza a Ceia Eucarística, o altar é o próprio cordeiro crucificado (cf. IGMR 296ss). O altar, em torno do qual a Igreja está reunida na celebração da Eucaristia, representa os dois aspectos de um mesmo mistério: o altar de sacrifício e a mesa do Senhor, isto tanto mais porque o altar cristão é o símbolo do próprio Cristo, presente no meio da assembleia de seus fiéis, ao mesmo tempo como vítima oferecida por nossa reconciliação e como alimento celeste que se dá a nós.

O altar representa o Corpo (de Cristo), e o Corpo de Cristo está sobre o altar. É ainda o centro da ação de graças que se realiza pela Eucaristia.

5.2. Ambão: lugar da Palavra

O ambão é a estante, em que o celebrante preside e os leitores proclamam a Palavra de Deus. Liturgia da Palavra e Liturgia Eucarística constituem juntas "um só e mesmo ato do culto". Com efeito, a mesa preparada para nós na Eucaristia é ao mesmo tempo a da Palavra de Deus e a do Corpo do Senhor. O ambão é a mesa da Palavra assim como o altar é a mesa da eucaristia. A força da Palavra na Liturgia faz acontecer aquilo que anuncia; realiza nossa transformação pascal (CNBB, A Eucaristia na vida da Igreja, p. 93).

5.3. Cátedra: lugar da presidência

É o lugar onde senta o presidente da celebração. A cadeira do presidente manifesta a sua função: presidir a assembleia e dirigir a oração. Deve, por isso, estar num lugar que facilite a comunicação, que seja visível e não se pareça com um trono (IGMR 310).

5.4. O lugar do batismo

O lugar da fonte batismal deve ser pensado em conjunto com os outros espaços, mantendo sempre a conexão com o espaço da celebração eucarística, mas não localizado no presbitério. O Ritual do Batismo fala de fonte batismal com água natural e limpa. "É o lugar do novo nascimento, porta de entrada para se fazer parte do Corpo Místico" (PASTRO, p. 74).

5.5. O lugar da reserva eucarística

De acordo com a estrutura de cada igreja e os legítimos costumes locais, o Santíssimo Sacramento seja conservado em um tabernáculo, colocado em lugar de honra na igreja, suficientemente amplo. Normalmente o tabernáculo é único, inamovível, feito de material sólido e inviolável, não transparente, fechado de tal modo que se evite ao máximo o perigo de profanação (cf. IGMR 314).

5.6. Presbitério

Chama-se presbitério a área, em volta do altar, um pouco elevada e distinta da nave, reservada ao corpo presbiteral e a outros ministérios envolvidos na direção e presidência das celebrações. É um espaço particularmente digno e significativo dentro da igreja, e, por isso, o Missal pede que o presbitério deve "distinguir-se oportunamente da nave da igreja, ou por uma certa elevação, ou pela sua estrutura e ornamento especial", e que seja "suficientemente espaçoso para que a celebração da Eucaristia se desenrole comodamente e possa ser vista" (ALDAZÁBAL, p. 294-295).

5.7. Lugar da assembleia

"Onde dois ou três estiverem reunidos em meu nome, eu estarei no meio deles" (Mt 18,20). Reunidos como comunidade, celebramos o mistério pascal para tornar-nos, cada vez mais, verdadeiramente, o que os batizados nunca deixam de ser: o corpo eclesial de Cristo. (CNBB, A Eucaristia na vida da Igreja, p. 73).

A assembleia deve manifestar-se a mais unida possível, sem separações ou barreiras que a impeçam de ver, de escutar, de participar ativamente, de se mover e realizar as procissões previstas pelo rito (CNBB, Guia litúrgico pastoral, p. 102).

6. Vasos litúrgicos, elementos e objetos sagrados

6.1. Água

É um dos elementos vitais para o homem. Contém uma grande simbologia em si. Ocorre no Batismo e na Eucaristia. Esse sinal deve ser bem explícito na igreja e nas celebrações.

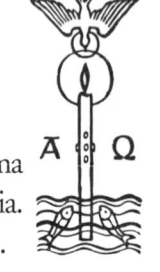

6.2. Aspersório ou hissopo

Objeto para aspergir água benta sobre os fiéis, objetos e as exéquias. Em seu lugar, pode-se usar um ramo verde de planta.

6.3. Baldaquino

É uma peça de seda ou outro tecido nobre, que forma como que um pálio, dossel ou pavilhão sobre o altar. É uma peça de pano fixada e sustentada por colunas, sobreposta ao altar, ressaltando a sua importância e a sua centralidade no espaço da igreja. Quando essa cobertura é uma peça de arte, de madeira ou de metal, chama-se cibório (tabernáculo), como é costume ver nas igrejas românicas e nas grandes basílicas. Às vezes, é móvel e utilizado nas procissões eucarísticas.

6.4. Cálice

Recipiente em forma de taça, em que se colocam o vinho e água durante a preparação das oferendas. Deve ser levado para o altar somente na preparação das oferendas e ser retirado após o final da comunhão. Com a patena são os vasos sagrados mais importantes.

6.5. Cibório, âmbula, píxide
É uma espécie de cálice maior e com tampa, em que se colocam as partículas pequenas para serem consagradas. Após a comunhão, é depositada no sacrário, caso ainda haja hóstias consagradas dentro dela.

6.6. Caldeira
Pequeno recipiente para receber água benta, usada juntamente com o hissopo (ou o aspersório).

6.7. Carrilhão ou Sineta
Pequeno sino utilizado na missa durante a consagração e bênção do Santíssimo. Serve para anunciar a presença do Senhor, que passa ou se faz presente em nosso meio.

6.8. Círio Pascal
É luz de Cristo, o Ressuscitado, a nova coluna de fogo, a luz nova na peregrinação dos cristãos. Nele são assinalados o sinal da cruz, o alfa e o ômega, os números do ano em questão e colocados cinco grãos de incenso, símbolo das chagas divino-humanas de Jesus.

6.9. Credência
É uma mesa de apoio colocada discretamente ao lado (de preferência do lado direito) do altar. Não deve ser enfeitada. Nela se colocam as galhetas, cálice, patena, missal... e tudo o que for necessário à celebração.

6.10. Cruz de consagração
São pequenas cruzes gravadas na mesa do altar, uma no meio e quatro nos cantos e simbolizam as cinco chagas do Senhor Ressuscitado.

6.11. Cruz peitoral
É uma pequena cruz de metal, madeira, marfim ou outro material, que o bispo carrega sobre o peito.

6.12. Cruz processional
Usada nas procissões, à frente de qualquer cortejo, deve permanecer em lugar nobre, próxima do altar ou no presbitério. Terá a figura do Cristo morto ou ressuscitado.

6.13. Corporal
Pano quadrangular de linho, com uma cruz no centro, posto sobre o altar durante a preparação das oferendas; sobre ele são colocados o cálice, a patena e as âmbulas para a consagração. Recebe esse nome porque sobre ele é colocado o corpo de Cristo.

6.14. Galhetas
São os recipientes onde se colocam a água e o vinho para serem usados na Celebração Eucarística. As galhetas não devem ficar sobre o altar, mas na credência.

6.15. Genuflexório
Local próprio para orações diante do Santíssimo Sacramento ou atendimento de confissões.

6.16. Hóstia
Pão ázimo (de farinha e água), que o sacerdote consagra durante a Missa. Corresponde aos pães ázimos da Páscoa. Quando a hóstia não está consagrada, é chamada comumente de partícula.

6.17. Incenso
Resina de aroma suave, extraída de diferentes árvores. É queimado no turíbulo em determinadas celebrações: missas solenes e adorações ao Santíssimo Sacramento. Simboliza o desejo de que nossa oração suba aos céus como sobe a fumaça. É o símbolo da prece como no Sl 140,2: "Como incenso suba a ti minha prece..."

6.18. Lavabo (jarra e bacia)

Acompanhado do manustérgio, o lavabo (bacia e jarra) é utilizado no rito de purificação das mãos do sacerdote na preparação das oferendas durante a missa.

6.19. Lâmpada ou lamparina

É a lâmpada acesa junto ao sacrário, alimentada pelo azeite, e significa a presença do Sagrado e Divino. Pode ser também elétrica.

6.20. Luneta

Pequena peça de metal que serve para segurar a hóstia consagrada no ostensório.

6.21. Manustérgio

Pequena toalha usada para enxugar as mãos do presidente da celebração após o uso do lavabo na preparação das oferendas.

6.22. Naveta

Objeto utilizado para se colocar o incenso, antes de queimá-lo no turíbulo. Pequeno vaso de metal, a maioria em forma de navio, onde se guarda o incenso que deverá ser queimado. Dentro dele, há uma pequena colher de metal, utilizada para apanhar o incenso e colocá-lo sobre as brasas no turíbulo.

6.23. Ostensório ou Custódia

Chama-se "ostensório", ou custódia, o recipiente em que se expõem umas relíquias, um fragmento da cruz ou, sobretudo, o Santíssimo, nas celebrações de culto eucarístico e nas procissões. O nome lhe vem do verbo latino *ostendere* (mostrar). Pode ter formas variadas, desde a de cruz até circular, como um Sol com raios, em cujo centro é colocado o Pão eucarístico para a exposição.

6.24. Pala

Do latim *palla* (manto) ou *pallium* (coberta), é um pedaço de tecido endurecido (engomado), de forma quadrada ou redonda.

A pala quadrada serve, a partir do ofertório, para cobrir e proteger o cálice, que contém a água e o vinho para a consagração. A de forma redonda serve para cobrir a patena, por cima da hóstia do presidente.

6.25. Patena
É uma pequena bandeja ou um pratinho pouco profundo, ligeiramente côncavo, normalmente dourado, onde se deposita o Pão Consagrado.

6.26. Sanguíneo
Pequeno linho mais estreito, reservado exclusivamente para a purificação do cálice e da patena após a comunhão. Sobrepõe-se ao cálice. Serve também para o sacerdote enxugar os lábios, os dedos e o cálice por respeito ao Corpo e Sangue de Nosso Senhor, pois nada da Eucaristia pode se perder. Também se lhe dá o nome de purificatório.

6.27. Teca
Recipiente utilizado para guarda e transporte da Eucaristia. É utilizada para levar a comunhão para os enfermos. Pode ser pequena ou grande.

6.28. Turíbulo
É um defumador de metal preso a três correntes e munido de carvão incandescente para receber incenso. São incensados o altar, a cruz, o livro dos evangelhos, as oferendas, o Santíssimo Sacramento, o presidente da celebração, a assembleia e as imagens dos santos.

6.29. Véu de Âmbula
Pano que serve para cobrir a âmbula, que será depositada na Capela do Santíssimo. É sinal de respeito com o sagrado e representa a presença do Senhor na Eucaristia.

7. Vestes, paramentos litúrgicos e alfaias

A variedade das vestes ou paramentos litúrgicos serve para manifestar a diversidade dos ministérios (indicações hierárquicas) exercidos na liturgia. As vestes querem nos dar o sentido de revestir-se de Cristo, de sua autoridade, do seu serviço. O cristão procura imitar Cristo, seu divino modelo. A beleza e a nobreza das vestes resultam do tecido e da forma; se houver ornatos, que sejam figuras ou símbolos que indiquem o uso sagrado. As cores devem visar manifestar o caráter dos mistérios celebrados, conforme o desenrolar do ano litúrgico.

7.1. Alva
É uma veste branca como a túnica, porém é usada com a casula, vindo sob ela. A alva, com a casula, dá um caráter mais solene às celebrações.

7.2. Amito
Retângulo de linho provido de dois cadarços, na forma de capuz ou retangular. Sempre foi usado para proteger o colarinho do suor.

7.3. Batina e sobrepeliz
A sobrepeliz é uma veste branca, comprida até a altura dos joelhos, utilizada sobre a batina preta pelos seminaristas e sacerdotes. Pode ser utilizada pelos acólitos, quando a batina é vermelha.

7.4. Capa pluvial
Capa usada em algumas celebrações litúrgicas como o matrimônio, liturgia das horas, bênçãos e outros. Também é usada nas procissões. Sua cor varia conforme o tempo litúrgico.

7.5. Casula
É uma veste mais solene que cobre tanto a alva como a estola. É a veste própria do padre (diácono não pode usá-la), não tem

costura nos lados e pode ser usada nas Missas dominicais e em dias festivos. A cor varia conforme a liturgia.

7.6. Cíngulo

Cinto ou cordão que é amarrado na cintura sobre a túnica. O sacerdote o utiliza para prender a estola sobre a alva ou túnica.

7.7. Dalmática

É a veste própria do diácono. É colocada sobre a alva (túnica) e a estola. É utilizada na celebração da missa. Aberta dos lados, tem as mangas largas e curtas. A cor também varia de acordo com a liturgia.

7.8. Estola diaconal

O diácono a coloca de revés sobre o ombro esquerdo. Sua cor varia com o tempo litúrgico.

7.9. Estola sacerdotal

Bispos e sacerdotes levam-na pendurada no pescoço até abaixo dos joelhos, de maneira paralela sobre a alva ou túnica. Sua cor varia com o tempo litúrgico e é indispensável na Santa Missa. Representa o poder e a dignidade, que devem estar a serviço.

7.10. Véu umeral ou véu de bênção

É o pano com o qual se cobre o ombro do sacerdote enquanto concede a bênção eucarística ou se translada o Santíssimo Sacramento.

8. Insígnias episcopais

Dá-se esse nome aos objetos que se tornam distintivos do "pontífice", ou seja, do bispo (cf. CB 56-64). Em concreto, trata-se do anel (antigo sinal de poder, porque com ele se selavam os documentos, convertido, depois, em símbolo do vínculo do bispo à sua Igreja), do báculo pastoral, da mitra, da cruz peitoral (pendente do pescoço por um cordão), do pálio se lhe for concedido pelo direito.

8.1. Anel
Insígnia da fidelidade e da união nupcial com a Igreja, sua esposa; deve o bispo usá-lo sempre.

8.2. Báculo ou cajado
Longo bastão curvado na extremidade, como um cajado de pastor. Representa seu ministério como pastor do povo de Deus. Em sentido figurado ou simbólico, passou a indicar "apoio" pela função de ajuda no caminhar e, sobretudo, "autoridade", por analogia com a vara ou bastão que o pastor usa para conduzir o seu rebanho. Usa habitualmente o báculo na procissão, para ouvir a leitura do evangelho e fazer a homilia, para receber os votos, as promessas ou a profissão da fé; finalmente, usa para abençoar as pessoas, salvo se tiver de fazer a imposição das mãos.

8.3. Mitra
A sua forma inicial era de uma taça, de pouca altura e, a seguir, pontiaguda, com as pontas para cima, de maior altura e duas faixas ou tiras de tecido caindo pelas costas. É habitualmente usada pelo bispo, quando está sentado, quando faz a homilia, quando faz as saudações, as alocuções e os avisos, quando abençoa solenemente o povo, quando executa gestos sacramentais, quando vai às procissões.

8.4. A cruz peitoral
A cruz peitoral usa-se por baixo da casula ou da dalmática ou por baixo do pluvial, mas por cima da mozeta.

8.5. Solidéu
Pequeno barrete de seda ou pano de cor vermelha com que os bispos cobrem a cabeça. É assim chamado por ser retirado somen-

te diante do Santíssimo Sacramento. Vem das palavras latinas *soli Deo* (só a Deus; só diante de Deus).

8.6. O pálio

O arcebispo residencial, que houver já recebido o pálio do Romano Pontífice, reveste-o por cima da casula, dentro do território da sua jurisdição, quando celebra a missa estacional, ou quando celebra com grande solenidade, e ainda nas ordenações, na bênção de Abade ou Abadessa, na consagração de virgem, na dedicação de igreja ou de altar.

8.7. O hábito coral

Quer dentro, quer fora de sua diocese, consta da veste talar de cor violácea; faixa de seda violácea ornada nas extremidades com franjas igualmente de seda; roquete de linho ou de tecido semelhante; mozeta de cor violácea sem capuz; cruz peitoral, suspensa por cima da mozeta, de cordão de cor verde entrelaçado de ouro; solidéu de cor violácea; barrete da mesma cor na borla.

8.8. Capa magna

A capa magna violácea, sem arminho, só se pode usar dentro da diocese e nas festas mais solenes. É uma veste longa sem mangas, à semelhança de um manto, circular, aberto, que se usa, sobretudo, fora de casa.

9. Cores Litúrgicas

As cores têm um significado e variam de acordo com o tempo litúrgico e as circunstâncias da liturgia.

9.1. Branco, amarelo ou ouro

Cores tipicamente pascais, dos batizados, usadas na páscoa, no natal, nas festas do Senhor, da Mãe de Deus, nas missas votivas pela Eucaristia e missa dos santos, exceto os mártires.

9.2. Rosa
É usada, facultativamente, no 3º domingo do advento e no quarto domingo da quaresma, indicando expectativa alegre. Pode ser trocada pelo roxo.

9.3. Roxo ou violeta
Para penitência e mortificação. É a cor do advento, da quaresma e das missas dos fiéis defuntos.

9.4. Verde
Como a natureza, que sempre reverdeja, simboliza a esperança. É usado nos Domingos e dias feriais do Tempo Comum.

9.5. Vermelho
Está ligado ao fogo e ao sangue, à força e à realeza. Usado no Domingo de Ramos, Sexta-feira Santa, pentecostes, apóstolos, mártires e nas missas votivas pelo Espírito Santo.

10. Símbolos e sinais cristãos

IHS: Iniciais das palavras latinas *Iesus Hominum Salvator*, que significam: Jesus Salvador dos homens. Empregam-se sempre em paramentos litúrgicos, em portas de sacrário e nas hóstias.

ALFA E ÔMEGA (A e Ω): Primeira e última letra do alfabeto grego. No Cristianismo, aplicam-se a Cristo, princípio e fim de todas as coisas.

TRIÂNGULO: Com seus três ângulos iguais (equilátero), o triângulo simboliza a Santíssima Trindade.

INRI: São as iniciais das palavras latinas *Iesus Nazarenus Rex Iudaeorum*, que querem dizer "Jesus Nazareno Rei dos Judeus", mandadas colocar por Pilatos na crucifixão de Jesus.

XP: Estas letras do alfabeto grego correspondem em português a C e R. Unidas, formam as iniciais da palavra CRISTÓS (Cristo).

11. Livros Litúrgicos

Missal: É um livro volumoso que contém todo o ritual da Missa, menos as leituras bíblicas.

Evangeliário: É o livro que contém o texto do evangelho para as celebrações dominicais e para as grandes solenidades. É carregado solenemente na procissão de entrada e de saída. Permanece sobre o altar até a hora em que é levado para o ambão.

Lecionários: Livros que contêm as leituras bíblicas para a Missa.

Lecionário Dominical: Ele consta de três partes, que correspondem a um ciclo de leituras de três anos. Isso quer dizer que a cada três anos voltam às mesmas leituras. O ano A percorre o Evangelho de São Mateus. O ano B percorre o Evangelho de São Marcos e o capítulo 6 de São João. O ano C percorre o Evangelho de São Lucas.

Nas grandes festas e nos Tempos litúrgicos "fortes" (advento, natal, quaresma, tempo pascal), o Evangelho é, quase sempre, tirado de São João.

A primeira leitura é tirada do Antigo Testamento e acompanha o sentido do Evangelho daquele dia. (No Tempo pascal, a primeira leitura é dos Atos dos Apóstolos.) O Salmo responsorial (salmo de resposta) também consta do lecionário. Ele acompanha o sentido da primeira leitura. A segunda leitura é independente. Não tem ligação nem com o Evangelho, nem com a primeira leitura (a não ser nas festas e nos Tempos litúrgicos fortes). É uma leitura semicontínua das cartas do Novo Testamento ou do Apocalipse. Também a aclamação ao Evangelho faz parte do lecionário, porque, em geral, acompanha o sentido do Evangelho.

Lecionário Semanal: É o livro com as leituras selecionadas para os dias da semana. Para cada dia temos a primeira leitura, o salmo, a aclamação ao Evangelho e o Evangelho. A primeira leitura e o salmo percorrem um ciclo de dois anos: ano par (2018, 2020, 2022...) e ano ímpar (2019, 2021, 2023...). O Evangelho é o mesmo para os dois anos.

Lecionário Santoral: É o lecionário que contém as leituras próprias para os dias dedicados aos santos (festas, memórias e solenidades). Nesse lecionário, também se encontram as leituras próprias para as missas votivas (Eucaristia, Espírito Santo etc.), do tempo comum (Nossa Senhora, Mártires etc.) e para diversas circunstâncias.

12. Diretório Litúrgico

O diretório litúrgico é um livro, por que podemos nos guiar para saber o que é celebrado na liturgia, a cada dia do ano. É um guia para um procedimento correto. Trata-se do calendário oficial da Igreja, publicado anualmente com indicações para o formulário da missa e o ofício para cada dia. Em virtude da data móvel da Páscoa e do deslocamento anual dos dias da semana, diferentes celebrações coincidem no mesmo dia. Os problemas gerados por tal ocorrência são resolvidos com as regras fixas do diretório (BERGER, Rupert. *Dicionário de Liturgia Pastoral*, p. 137). Deve estar na sacristia à disposição para ser consultado.

3

COROINHAS E ACÓLITOS
O QUE FAZER?

Neste terceiro capítulo falaremos um pouco sobre as ações que os coroinhas e acólitos desempenham na preparação e na execução, antes, durante e depois da Celebração Eucarística. Já descrevemos o que devem ser (primeiro capítulo) e o que devem saber (segundo capítulo). O conteúdo sobre o SER e o SABER serviu de base para a fundamentação sobre o que os coroinhas e acólitos devem fazer (terceiro capítulo). Não por ser menos importante, mas será bem mais sucinto, mais breve e resumido, já que não será mais necessário falar sobre o sentido do fazer, pois se encontra em "o que ser", nem a descrição dos objetos de trabalho do fazer, apresentados em "o que saber".

O serviço dos coroinhas e acólitos recebe a orientação da Igreja no capítulo terceiro da Instrução Geral sobre Missal Romano, intitulado "Funções e Ministérios na Missa", que inicia assim:

> Na assembleia reunida para a missa, cada um tem o direito e o dever de contribuir com sua participação, de modo diferente segundo a diversidade de função e ofício. Por isso, ministros ou fiéis, no desempenho de sua função, façam tudo e só aquilo que lhes compete de tal sorte que, pela própria organização da celebração, a Igreja apareça tal como é constituída em suas diversas funções e ministérios (IGMR 58).

Antes de chegarmos ao ministério de coroinhas e acólitos, tenhamos presente o que segue:
1. Toda celebração legítima da Eucaristia é dirigida pelo Bispo, pessoalmente ou por meio dos presbíteros, seus auxiliares.
2. O presbítero, que na comunidade dos fiéis tem o poder sagrado da Ordem, preside a oração, anuncia a mensagem da salvação, associa a si o povo no oferecimento do sacrifício a Deus-Pai, pelo Cristo no Espírito Santo, dá a seus irmãos o Pão da Vida eterna e participa com eles do mesmo alimento (cf. PO 2).
3. Entre os ministros, ocupa em primeiro lugar o diácono, cuja ordem foi tida em grande honra, desde o início da Igreja.

Tem na missa as funções que lhe são próprias: anunciar o Evangelho, entre outras.

4. Os fiéis não se recusem a servir com alegria o povo de Deus, sempre que solicitados para algum serviço particular na celebração.

5. Entre os fiéis, o grupo de cantores exerce uma função litúrgica própria.

6. Entre os ministérios particulares, aponta o missal: **o acólito** é instituído para servir o altar e auxiliar o sacerdote e o diácono. Compete-lhe principalmente preparar o altar e os vasos sagrados, bem como distribuir aos fiéis a Eucaristia. "Todas as funções inferiores à do diácono poderão ser exercidas por leigos, mesmo que não tenham sido instituídos para isso" (IGMR 70).

Tratemos, então, de "O QUE FAZER" de coroinhas e acólitos.

1. Um fazer centrado na razão do que se faz

Quando os coroinhas e acólitos se dirigem à igreja com objetivo de prestarem seu serviço, não devem perder de vista que:

1. As ações litúrgicas, às quais estarão a serviço, não são ações privadas, mas celebrações da Igreja. De forma análoga, o mesmo se poderá dizer do trabalho de coroinhas e acólitos, ou seja, o que fazem, não fazem por si, nem para si, mas para a Igreja e com a Igreja.

2. As coisas destinadas ao culto também não são propriedade de ninguém, em particular, mas da Comunidade de Fé a qual servem. Dito isso, saibam coroinhas e acólitos que o que preparam em uso para a celebração não pode ser de propriedade de ninguém, nem mesmo de quem zela por ele. Não haja uma relação – da pessoa com a coisa –, um zelo cioso, de modo que alguém se faça possuidor, mesmo com reta intenção. Um modo de trabalhar assim dificulta a relação e o aprendizado dos demais, e a sacristia se torna o espaço de propriedade de alguém.

3. Cada ação de coroinhas e acólitos, no preparo da celebração, deve revelar o Espírito de quem recebeu esse dom para atuar na preparação do serviço à assembleia. Se o trabalho está focado na natureza a quem servem, será feito com amor e em nada há de dificultar, nem a si, nem aos outros, a realização plena da Eucaristia.

4. Todos os que exercem funções dentro da celebração – coroinhas, acólitos, ministros, animadores, leitores, cantores, salmistas, equipe de acolhida – "desempenham um verdadeiro ministério litúrgico. Cumpram sua função com piedade e ordem que convém a tão Grande Mistério. Sejam imbuídos do espírito litúrgico e preparados para executar as suas partes, perfeita e ordenadamente" (SC 29).

5. A participação alheia e desinteressada em nada contribui com as pessoas que participam do ato litúrgico. Quem preside ou quem prega e toda a equipe de celebração não são simples executores de qualquer serviço, são dispensadores de um ministério litúrgico e servidores de uma comunidade celebrante. Coroinhas e acólitos, muita atenção, quando são percebidas em vocês a falta de concentração e a interiorização com conversas paralelas, movimentos de saídas ou entradas e ruídos; com certeza, essas atitudes nada contribuem com a espiritualidade e grandeza do ato litúrgico de que participam.

2. Um fazer organizado

Em cada celebração deverá haver um acólito ou um coroinha responsável pelos outros e pela coordenação de tudo o que a todos diz respeito. Vamos chamar-lhe de "coordenador". Este deve designar os responsáveis por cada serviço: pelo turíbulo, pela cruz, pelo livro, por auxiliar o diácono ou o padre a servir o altar, pelo lavabo, por acompanhar os leitores e salmistas, por cuidar do missal e por outros serviços requeridos pela celebração.

Lembrem-se da preparação dos outros livros litúrgicos da missa, verificando se estão marcados com as leituras certas: o Missal, o Lecionário e, nas cerimônias maiores, o evangeliário ou outro

Ritual de acordo com a celebração. O coordenador deve verificar se na credência estão: o cálice, o corporal, o sanguíneo, a pala, a patena, a píxide, o pão para a comunhão (partículas), as galhetas com vinho e água, a caldeirinha e aspersório, a jarra com água, bacia e toalha, bem como orientar os responsáveis por cada uma dessas ações litúrgicas ou mesmo ajudar nesses serviços. Vamos especificar ainda mais o ministério de coroinhas e acólitos na missa.

3. A paramentação

Coroinhas e acólitos devem chegar meia hora antes da missa e, em missas solenes, ainda mais cedo. Ao entrar na igreja, seguirão os seguintes passos:

1. Dirijam-se à frente do Santíssimo, fazendo a genuflexão, o sinal da cruz e as orações individuais. Digam a Cristo que tudo o que será feito seja para a "maior glória de Deus", pedindo a Ele humildade e caridade, equilíbrio e serenidade. Entreguem-lhe, em mãos, a semana e o dia, a celebração e cada uma das pessoas que irão celebrar a Eucaristia.

2. Ao entrar na sacristia, lavem as mãos e confiram quem está na escala do dia.

3. Iniciem o trabalho consultando o Diretório Litúrgico para ver a cor litúrgica e demais ações próprias para aquela missa, conforme o que foi combinado com a equipe de liturgia, além de verificar se há no mural algum aviso especial para a celebração.

4. Quem estiver nomeado na escala do dia (coroinha ou acólito) deve paramentar-se e aguardar até que todos cheguem. No caso de alguém faltar, quem estiver presente poderá substituí-lo, caso contrário, dirija-se aos bancos, com seus familiares e com eles permaneçam. Aguardem a chegada do padre na sacristia ou na porta da igreja, saudando a quem chega. Tanto na sacristia como na porta, mantenha-se o devido silêncio, que o ambiente exige.

4. Procissão de entrada e de saída

A procissão de entrada parte da porta da Igreja, pelo corredor central, até o presbitério. À frente vai a Cruz processional. Com ela em mãos, caminha-se em andar respeitoso, altivo e focado no altar ou na cruz que estiver na parede atrás do altar. A caminhada se movimenta na seguinte ordem: o turiferário e naveteiro com incenso (quando usado ou em missas mais solenes), o cruciferário (com a cruz), o evangeliário e os ceroferários (com as velas). Demais coroinhas, acólitos, ministros da Comunhão, diácono, padre e bispo.

Chegando ao presbitério, faz-se a genuflexão, diante do altar, antes ou junto ao presidente da celebração. Se o sacrário não estiver no centro do presbitério, faz-se uma inclinação profunda ao altar e cada um se dirija à cadeira própria. No entanto, quem estiver com a cruz, a vela ou o livro não fazem genuflexão ou inclinação. Ao chegar ao presbitério, deponham o que levam em mãos no lugar próprio e depois se voltem às cadeiras próprias.

A procissão de saída também acontece de forma ordenada e nesta sequência: após a bênção e o envio, saem todos como entraram, descendo do presbitério; à frente do altar, aguardam o presidente da celebração ocupar a posição central. Façam novamente a inclinação e, dois a dois, retornem na mesma ordem que entraram levando apenas a cruz processional, que vai à frente.

Para essa procissão, deve o animador da assembleia ou o cantor pedir ao povo para aguardar a saída da procissão e só depois movimentar-se. A procissão segue do presbitério até a sacristia. Chegando, formem um semicírculo em torno do crucifixo e aguardem o padre, que dirá: "bendigamos ao Senhor", a que todos respondem: "graças a Deus".

Só então cada um retira os paramentos, colocando-os nos devidos lugares. Também nessa hora, na sacristia, deve reinar o silêncio. Caso contrário, transparece que chegamos ao final de um teatro e estamos atrás de um palco. Lembre-se de que os acertos ou as correções deverão ser trazidos para reunião de avaliação. A sacristia não é o lugar e, após a missa, não é o horário para os ajustes que se fizerem necessários.

5. Preparação das oferendas

Após as preces dos fiéis, inicia-se a Liturgia Eucarística, com quatro momentos importantes: a preparação do altar, a apresentação dos dons, a Oração Eucarística e a Comunhão. Em cada um desses, os acólitos e coroinhas devem fazer tudo e só o que lhes competir. O que é *tudo* e *só*?

Concluídas as preces dos fiéis, acólitos ou coroinhas dirigem-se à credência e levam para o altar o corporal, o cálice e o sanguíneo, com a pala. Depois levam o cibório com o pão, as galhetas com a água, vinho e o missal. Usem as duas mãos ao manusear os objetos. Se estiverem na celebração os acólitos instituídos ou ministros da sagrada comunhão, comecem por desdobrar o corporal no meio do altar, depondo o cálice e o sanguíneo à direita e o missal à esquerda do corporal, ou ajustando-o conforme costume, bem como a disposição do microfone. Se estiverem somente coroinhas, aguardem o padre fazer a apresentação do pão e do vinho. Acólitos ou coroinhas tomem o lavabo com a toalha e aguardem em pé, próximos ao altar. Façam esses movimentos e deslocamentos com calma e discrição. Por fim, voltem às cadeiras de origem.

O mesmo pode-se dizer se o pão e o vinho para a Eucaristia vierem em procissão. Recebam-no e alcancem-no para o presidente. Quando for o padre que receber o pão e o vinho, os coroinhas e os acólitos o acompanharão, à frente do altar, e ele os entregará para que levem ao altar.

Após a apresentação dos dons, em cerimônias maiores, os acólitos ou os coroinhas, senão outros, apresentam o turíbulo para a incensação dos dons, da cruz e do altar. A seu tempo, estes incensam o padre e depois o povo.

6. Prece Eucarística

Durante a Prece Eucarística, coroinhas e acólitos permaneçam em seus lugares ou, se não prejudicar a visibilidade da assembleia, fiquem ao lado do altar. Quando iniciar a narração da Instituição da Eucaristia, ajoelhem-se com todo o povo, olhando para o altar. Se usada a sineta, esta deverá soar somente na apresentação do pão e do vinho consagrados, com três toques. Se usado o incenso, deve-se incensar o Santíssimo a cada apresentação, primeiro do pão, depois do vinho, com três ductos (movimentos do turíbulo). Normalmente, faz-se esse gesto, de joelhos, à frente do altar. Quando não houver sineta ou incenso, coroinhas e acólitos permaneçam em silêncio. No diálogo da aclamação memorial: "Eis o Mistério da Fé", levantem-se e respondem com o povo.

7. A purificação

Concluída a distribuição da Sagrada Comunhão, a purificação seja feita na credência pelos acólitos ou pelos ministros da Sagrada Comunhão. Quando há acólitos ou ministros em número suficiente, enquanto uns distribuem a sagrada comunhão, outros retiram os vasos sagrados do altar, levando-os à credência. Também o missal deve voltar ao lugar, onde aconteceram os ritos iniciais e a liturgia da Palavra.

A purificação dos vasos sagrados implica deixá-los sobre o corporal, pondo as hóstias consagradas num cibório e colocando-o no sacrário. Os pequenos fragmentos de hóstias recolhidos com o sanguíneo sejam postos no cálice, que receberá água da galheta. Aquele que os purifica deve tomá-la, depurando-o com o sanguíneo e encobrindo-o com a pala e o corporal.

Após a missa, tudo deverá ser recolocado em seu devido lugar: vasos sagrados, alfaias e objetos usados para a celebração. Deixem tudo no mesmo lugar e em ordem. Antes de sair, voltem-se para o sacrário, façam o agradecimento e, com a genuflexão, retornem para casa, exultando de alegria por terem servido ao Senhor.

CONCLUSÃO

A leitura e a reflexão apresentadas neste pequeno escrito, versaram a respeito do ministério de coroinhas e acólitos. O assunto em questão deixa aos leitores uma síntese do que fala a Igreja, da experiência pastoral do autor no campo da liturgia e dos desafios, antigos e novos, que brotam do exercício desse serviço na liturgia.

A forma didática das expressões do SER, SABER e FAZER teve por objetivo favorecer a acessibilidade e o entendimento de todos os comprometidos nesse assunto. Levou em conta o interesse pelo assunto por parte de crianças e jovens e também das Paróquias e suas comunidades de fé, que desejam contar, entre suas fileiras, com os grupos de coroinhas e acólitos.

O certo é que não existe uma receita para dar certo ou para resolver problemas ou aperfeiçoar experiências bem-sucedidas. A cada uma destas, acentuo, a resposta será ler e reler o texto, adaptá-lo às situações de cada Paróquia ou grupo, com suas peculiaridades; e depois da leitura e de conformar e adequar à realidade local, sejam realizados ensaios, refazendo-os, quantas vezes forem necessários.

E, quando já estiverem convictos de que já testemunham o que devem SER, que já se apropriaram do que devem SABER sobre o conteúdo e já têm o domínio do FAZER de cada uma das ações litúrgicas, digam, em alto e bom som: "Somos servos inúteis, fizemos apenas aquilo que devíamos fazer" (Lc 17,10).

REFERÊNCIAS BIBLIOGRÁFICAS

ALDAZÁBAL, José. *Vocabulário básico de LITURGIA*. Coleção Fonte Viva. Tradução Paulinas Portugal. São Paulo: Paulinas, 2013.

BERGER, Rupert. *Dicionário de liturgia pastoral*. Obra de consulta sobre todas as questões referentes à liturgia. Tradução Nélio Schneider. São Paulo: Loyola, 2010.

CATECISMO DA IGREJA CATÓLICA. 6 ed. Petrópolis: Vozes, 1993.

CERIMONIAL DOS BISPOS. *Cerimonial da Igreja*. 3 ed. São Paulo: Paulus, 2004.

CONFERÊNCIA NACIONAL DOS BISPOS DO BRASIL. *Guia Litúrgico-Pastoral*. 2 ed. revisada e ampliada.

_____. *A Eucaristia na vida da Igreja* (Estudos 89).

CONSTITUIÇÃO *Sacrosanctum concilium*. Sobre a Sagrada Liturgia. Texto e Comentário Alberto Beckhäuser. Coleção Revisitar o Concílio. São Paulo: Paulinas, 2012.

DECRETO *Presbyterorum ordinis*. In: COMPÊNDIO DO VATICANO II. *Constituições, Decretos, Declarações*. Introdução e índice analítico de Frei Boaventura Kloppenberg. 13 ed. Petrópolis: Vozes, 1969.

DOCUMENTO DE APARECIDA. *Texto conclusivo da V Conferência Geral do Episcopado Latino-americano e do Caribe*. São Paulo: Paulinas; Paulus; Ed. CNBB.

INSTRUÇÃO GERAL SOBRE A LITURGIA DAS HORAS. In: CONGREGAÇÃO PARA O CULTO DIVINO. *Liturgia das Horas*. Tempo do Advento e Tempo do Natal. Tradução para o Brasil da segunda edição típica. São Paulo: Paulinas; Paulus; Ave-Maria; Petrópolis: Vozes, 1994.

INSTRUÇÃO GERAL SOBRE O MISSAL ROMANO. Comentários de J. Aldazábal. Tradução Antonio Francisco Lelo. Coleção comentários. 3. ed. São Paulo: Paulinas, 2007.

MISSAL ROMANO. Tradução Portuguesa da 2. ed. típica para o Brasil.

PASTRO, Cláudio. *Guia do Espaço Sagrado*. 2. ed. São Paulo: Loyola, 1999.

RITUAL DE ORDENAÇÕES DE BISPOS, PRESBÍTEROS E DIÁCONOS. São Paulo: Paulus, 1993.

_____. *Os ritos da Instituição de Leitores e de Acólitos e da Admissão entre os candidatos à Ordem Sacra*. São Paulo: Paulus, 1993.

SERVIÇO DE ANIMAÇÃO VOCACIONAL. *Manual do coroinha*. Chamado a servir no altar e na vida. Porto Alegre.

MANUAL dos Acólitos (para a equipe de coroinhas). Disponível em: <https://www.yumpu.com/pt/document/view/12861613/manual-dos-acolitos-congregacao-dos-padres-do-sagrado-/7> Acesso em: 9 de dez de 2016.

Este livro foi composto com as famílias tipográficas Dream Orphans e Adobe Garamond
e impresso em papel Offset 75 g/m² pela **Gráfica Santuário.**